Provincetown Playhouse, juillet 1919, j'avais 19 ans

DU MÊME AUTEUR

THÉÂTRE

Rêve d'une nuit d'hôpital, Leméac, 1980
Fêtes d'automne, Leméac, 1982
La société des Métis, Leméac, 1983
Fragments d'une lettre d'adieu lus par des géologues, Leméac, 1986 ; Leméac/Actes Sud-Papiers, 2000
Les reines, Leméac/Actes Sud-Papiers, 1991
Je vous écris du Caire, Leméac, 1996
*Le passage de l'*Indiana, Leméac/Actes Sud-Papiers, 1996
Stabat Mater I, in *Brèves d'ailleurs*, Actes Sud-Papiers, 1997
Petit navire, Leméac/Actes Sud-Papiers/Heyoka jeunesse, 1999
Stabat Mater II, Leméac/Actes Sud-Papiers, 1999
Le petit Köchel, Leméac/Actes Sud-Papiers, 2000

ROMAN ET NOUVELLES

Scènes d'enfants, Leméac, 1988
Le pont du Gard, suivi de *Le poids des choses*, Leméac, 1998
États financiers, Éditions du Silence, 1999

NORMAND CHAURETTE

Provincetown Playhouse, juillet 1919, j'avais 19 ans

Introduction de Gilles Chagnon

LEMÉAC

Photographie de la couverture : © D.R.

Leméac Éditeur remercie le ministère du Patrimoine canadien, le Conseil des arts du Canada, la Société de développement des entreprises culturelles du Québec (SODEC) et le Programme de crédit d'impôt pour l'édition de livres du Québec (Gestion SODEC) du soutien accordé à son programme de publication.

ISBN : 978-2-7609-0103-2

4609, rue d'Iberville, 3e étage, Montréal (Québec) H2H 2L9
Dépôt légal — Bibliothèque et Archives nationales du Québec, 1981

Imprimé au Canada

LA SCÈNE CAUTÉRISÉE

Gilles Chagnon

C'était un théâtre au bord de la mer. Le Provincetown Playhouse. À Provincetown. Sur les quais, offert au vide étale. Un lieu où l'on a joué sur le sable, de 1915 à nos jours. Où les jeunes créateurs de l'époque, dont Eugène O'Neill, proposaient leur nouveau théâtre.

Cette nuit d'août 1981, à la place des répliques qui fusaient les soirs d'été : le silence du large (seul ponctué, de loin en loin, par la sirène du port et l'écho des discothèques).

Injouable, irreprésentable, totale, voilà bien la pièce dont le théâtre constitue la quête. Cependant l'apparition reste à jamais différée, la formulation en produisant toujours l'écart par lequel, s'inscrivant dans la langue, elle découpe la scène et advient dans la division du temps, dans son destin d'œuvre d'art.

Le théâtre peut ignorer cet écart et donner à croire qu'il y a du réel, là, sur les planches. Pourtant la question subsiste de cette réalité de carton, emballée, déballée, à savoir que la contrefaçon peut à tout moment cesser d'être crédible, ou signifiante, et, se retournant sur elle-même, s'abîmer dans le pur jeu. Par là le doute qui traverse la surface scénique s'en empare, et, dès lors qu'il altère la véracité de la représentation, son unité, devient coextensif à l'ensemble de l'interrogation, portée par l'écriture, qui met en crise depuis un siècle toute propension à la vérité, et frappe l'être d'illusion.

Mais le théâtre peut aussi jouer avec cet écart, dans le risque d'y disparaître, et retarder indéfiniment le moment où s'accomplit la pièce. L'on accède alors à la représentation, non plus par la médiation d'un contenu qui doit être délivré, mais par là où elle devient virtuelle — réservée en quelque désignation de l'impossible plutôt qu'achevée une fois pour toutes dans son inscription —, donc réouverte au jeu, c'est-à-dire à une sorte de tension métaphorique entre des objets et du rien, par laquelle survient l'imaginaire.

Ainsi le soleil a-t-il lentement pénétré la mer, aux alentours du cap. C'est la première d'une pièce qui consacrera le théâtre de l'immolation de la beauté; mais la pièce ne pouvant être montée qu'une seule fois, c'en sera par conséquent, aussi, la dernière. Ce soir du 19 juillet 1919, les portes du Provincetown Playhouse s'ouvrent d'emblée sur un événement unique, irreproductible. Mais des scories de tout genre viennent altérer cette unicité, déporter le chef-d'œuvre: tel éclairage mauvaisement ajusté sur un sac, tel retardataire pour la compréhension duquel il faut recommencer depuis le début, et puis tel autre, vont déjouer la singularité du moment et lui substituer sa réalité itérative.

Le signifié, c'est-à-dire ici la pièce représentée, commence dès lors à glisser vers la scène déserte, le lieu vide auquel le renvoie l'écriture. Et puis, on le sait, cet événement unique, plus que tout autre, deviendra celui-là même qui sera sans cesse répété, soumis à la redite infinie, au ressassement indifférent dans lequel la folie l'aura fait retomber. Autrement dit : quand se perd le présent et se présente l'éternel retour, la langue, déjà, est advenue.

Car c'est dans un présent insituable que se déroule Provincetown Playhouse. *La simultanéité des deux Charles Charles les télescope l'un et l'autre, avec le spectateur, dans un dehors du temps où coïncident la pleine lune de juillet 1919 et le jour anniversaire de 1938, à Chicago. Opérant par glissements successifs, la pièce, dans un processus qui donne comme contemporains l'écrivain et son double aliéné, échappe ainsi à la condition syntagmatique du voir et dilate le regard jusqu'au lieu inaccessible, phantasmatique, d'une scène originaire. L'on entrevoit peut-être que c'est cette scène elle-même qui est mise en jeu dans* Provincetown Playhouse. *L'écriture seule pouvait la susciter, remonter jusqu'au hasard de son avènement — et se perdre dans le meurtre que structuralement elle implique.*

C'est au moment où la question est posée de l'énigme (L'énigme de la pièce : « Savaient-ils que ce sac contenait un enfant ? ») *qu'a lieu le redoublement parfait de la pièce et de son objet diégétique, la représentation de juillet 1919. Cette énigme non seulement maintient l'ouverture par laquelle la pièce, à mesure que se déploient les tableaux, devient la recherche inconditionnelle d'elle-même, mais aussi permet la démarcation entre un dehors et un dedans de l'imaginaire. D'un côté, il y a ceux qui cherchent à faire taire l'énigme, à apaiser dans une réponse, de toute façon préfabriquée, la violence qu'elle soulève ; c'est l'apanage du juge, de la loi par lui évoquée, mais aussi bien est-ce le vouloir de tous, de la masse inquiète qui ne souffre pas d'être en défaut de savoir, de vérité — ou de coupable. De l'autre, il y a les quatre personnages de la pièce, ou le même personnage quatre fois, qui consentent à l'énigme, à l'excès radical de son surgissement, comme sachant depuis toujours que, d'une telle énigme, seul compte le fait qu'elle soit amenée dans le plein jour du jeu — ce jour artificiel de la scène se déployant dans la nuit — et que soient mises au monde, par elle, la nécessité de l'art, la possibilité de jouer avec le réel, dans l'insouciance des réponses.*

Ainsi l'extériorité de la loi, en quête de justice, n'aura-t-elle une fois de plus que sanctionné son propre aveuglement. Opérant à partir du sens, s'érigeant en vue de la sauvegarde du bon droit commun, elle se fabriquera une vérité, à même la minceur et les trous du tissu narratif qui lui aura été fourni. Les preuves sont multiples tout autant qu'illusoires : le racisme, au passage, peut être invoqué ; et puis les accusés sont homosexuels, donc transgressant d'emblée, jusque dans l'utilisation de leur corps, la norme sociale qui calibre la jouissance et l'aligne sur la suite du monde, c'est-à-dire, d'abord, sur la reproduction des structures déjà en place. Mais le plus grand forfait des prévenus reste peut-être la pratique elle-même du théâtre, ou de l'écriture, pratique de l'artifice qui vient toujours secouer la vérité, l'attaquer en la relativisant ou l'exhiber en la rendant clôturée et dérisoire, lui préférant l'antériorité du jeu, la légèreté dissolvante de l'ironie. La loi se posera alors en exégète acharné, avec l'aide de tous ses pontifes, universitaires, hommes d'église et psychiatres, afin d'extraire de la représentation du 19 juillet la préméditation du meurtre. Et enfin, comme si toute cette marginalité ne se suffisait pas à elle seule, les personnages sont coupables d'avoir interrompu, par leur silence, la parole opératoire du pouvoir justicier : ce sera l'argument décisif de l'inculpation : Alvan et Winslow, en proie à l'oubli, ou en face de l'inavouable, seront pendus sur la preuve de ce blanc d'une heure de leur vie; l'auteur de la pièce, quant à lui, sera enterré sur la foi du mutisme plus radical encore que représente la folie au regard de l'autorité.

Le silence, on le sait bien, même s'il en indique la faillite, ne s'entend toujours qu'à partir du langage.

Il n'est pas de lieu qui soit vierge d'échos ; le vide n'est jamais vide de toute résonnance.

Cependant il reste que ce que le silence énonce, c'est précisément l'au-delà de la parole. Quand s'exprime le manque à dire, quand se formule l'inouï, alors l'espace représenté devient peut-être possible de son envers : la résorption toujours latente de la scène était là même, sur la scène. Ainsi s'immisce, quelque part insituable, l'objet toujours manquant de la représentation, l'impossible réel.

Car un meurtre a bien été agi sur la scène. Il y a eu de la chair d'enfant mutilée sur l'autel du symbole.

Il convient ici de reprendre la diégèse des derniers tableaux de la pièce pour essayer d'appréhender comment s'est opérée cette immixtion de la réalité dans l'aire fictionnelle. Cette narration est d'abord la narration d'un blanc. La coïncidence onirique des éléments fait contrepoint avec la coïncidence du chiffre dix-neuf dans l'existence de Charles Charles : avant d'être consacré, par cette pièce de l'immolation de la beauté, le jour anniversaire de ses dix-neuf ans, il se retrouve seul devant la solitude de la mer. La boule orange du soleil et la plénitude de la lune se découpent dans le ciel comme à la création du monde. La vision est presque offerte ici de la naissance de Charles Charles, en démiurge absolu, surgissant des flots au moment inaugural et parfait où s'éploie la beauté. La visée symbolique de la pièce qui sera jouée quelques heures plus tard s'inscrit dans le désir de reproduire cet instant unique du commencement des temps : ce qu'il s'agira alors de percer, par les dix-neuf coups de couteau, c'est en quelque sorte le sac amniotique, océanique, de la mère afin que soit accompli l'auto-engendrement de la génialité souveraine.

Mais ce désir de représentation contient déjà, dans sa définition, l'inéluctable espacement, c'est-à-dire la mort de l'origine, la rature du représenté initial. D'emblée la tension vers l'autre, le désir, est marquée par l'impossibilité d'être totalement, par l'impossibilité, pour l'être, de coïncider avec lui-même, avec autre chose que sa projection dans le *temps, ses limites, sa fin. C'est donc un Charles Charles divisé par le désir qui s'arrache à la contemplation du moment éternel pour courir sur la grève rejoindre son amant. Mais la vision qui lui sera donnée alors est celle d'une origine plus radicale et plus obscure encore. En quelque fulgurance, son regard se brise sur la nudité des deux corps, sur cette nudité éblouissante qui l'exclut de part en part, l'annule et annule du même coup sa préséance à la représentation. L'éclat de sa naissance, qu'il voulait ce soir-là célébrer sur la scène, sur sa scène, est dévoyé au profit d'une scène primitive, violemment antérieure à son avènement propre. C'est le constat de l'enfant qui croyait détenir seul le secret de son origine mais qui voit ou phantasme ses parents se souder pour leur jouissance commune, jouissance dans laquelle, n'existant pas encore, il n'a aucune part, si ce n'est celle, virtuelle, qui le livre au hasard anonyme de l'engendrement.*

Ce qu'il faut alors : mettre à mort ce regard de l'enfant, rayer la possibilité qu'il puisse avoir lieu, tuer ce qui a été vu. Or, pour Charles Charles, le seul moyen d'assassiner les protagonistes regardés de ce regard en trop est précisément de substituer au sacrifice symbolique le meurtre réel de l'enfant, d'où l'on voit que s'abîme ici, aux miroirs de la représentation, en s'y démultipliant, l'objet même de la pièce, des pièces. Au lieu de célébrer sa venue au monde par un sacrifice allégorique, ce que l'auteur accomplira dans le meurtre véritable de l'enfant qui jouait de l'harmonica sur le rivage, c'est son propre suicide. Charles Charles se perd ainsi dans l'énigme de ce qu'il a lui-même enclenché, le désir de sa propre re-nais-

sance, laquelle énigme se maintient maintenant pour elle seule, puisque tous y auront été sacrifiés : savaient-ils que ce sac contenait un enfant ?

En dehors de la mort, seules peut-être la folie et l'écriture peuvent répondre à cette question, qui devient alors questionnement de l'altérité. La folie certes parle, mais d'un lieu brisé, inquiétant, étranger — où par exemple un sac s'égare dans un lapin, un tracteur, etc. —, et d'un langage sans vérité, offert, simplement, à l'infini de l'interprétation. La réponse de l'art, de l'écriture, quant à elle propose ses signifiants : cela s'enchaîne sur la page, cela tend vers l'œuvre, mais cela n'autorise nulle certitude, défait plutôt toute propension à la certitude, tout rapport d'appropriation, toute présence à soi, la réalité même. La décision qu'implique l'art, nécessité de trancher à même l'informe, procède peut-être toujours du sacrifice de l'enfant, de la beauté innocente, mais également l'art ne se maintient qu'à la condition de répéter sans cesse ce meurtre, d'assassiner sans relâche ce qui ne peut mourir, ce qui renonce à sa fin.

Au dernier tableau, le dix-neuvième, on ne retrouve plus qu'un aliéné, fixant le vide d'un asile. Avec les autres personnages, le temps, lui aussi, semble s'être absenté et, sur la scène presque déserte, il ne reste plus en effet que cet enfant intuable de trente-huit ans, assis par terre, au milieu des couteaux, du sac et du texte de la pièce, ces choses. Qui curieusement ressemblent à des jouets. Le doute qui pointe alors est celui d'une annulation d'ordre général. Peut-être le récit qui soutenait la pièce n'est-il qu'une élucubration, parmi d'autres, élaborée par un fou sans âge, à partir d'objets de hasard, et pour un public inventé. D'ailleurs Charles Charles n'a vu, pour toute scène primitive, que deux corps endormis, disjoints, de sorte qu'une interprétation peut, à son tour, basculer dans les replis mobiles du rêve, le sans-fond du sommeil, le jeu de l'inconscient. La représentation du 19 juillet 1919 retourne ainsi à l'opacité impénétrable. Seul subsiste sur la scène un fou qui implore, emmuré dans la solitude, dans l'angoisse, que personne n'écoute plus, et auquel répondent, venant d'une autre écriture, comme en écho, les supplications vaines de Claire Lannes à la fin de l'Amante anglaise*.

Le temps reconduit toujours toute représentation vers son abolition. L'effacement ici est multiple : ce qui se referme, avec la sortie du spectateur, c'est la scène fuyante, perpétuellement déplacée, de Provincetown Playhouse, celle de Cape Cod en 1919, de Chicago en 1938, de quelque part dans les années quatre-vingts. Fragmentée, perdue dans le temps, dans l'espace, quelque part mais toujours ailleurs, tel est bien le destin de la scène originaire. Qui reste alors pour en jouer la perte ?

Dans la soirée du 25 mars 1977, à 21h25, le service des sapeurs-pompiers de Provincetown était alerté au sujet d'un bâtiment qui

---

* *Écoutez-moi !*, lancé aussi à la scène déserte. Marguerite Duras, *l'Amante anglaise*.

brûlait sur la plage. Le Provincetown Play-house-on-the-Wharf était en feu. Devant la foule des curieux amassés, il donnait, dans les flammes, sa dernière représentation. Il n'a pas été reconstruit.

Aujourd'hui, à l'angle de Gosnold et Commercial Street, une affiche en bois persiste, en forme de flèche, pointant vers le vide, vers la mer.

Pour Gilles

PROVINCETOWN PLAYHOUSE, JUILLET 1919, J'AVAIS 19 ANS

pièce en dix-neuf tableaux

PERSONNAGES

CHARLES CHARLES ....38 ans
CHARLES CHARLES ....19 ans
WINSLOW ....19 ans
ALVAN ....19 ans

DÉCOR

Une table sur laquelle on a déposé un sac et des couteaux.

La pièce se passe dans la tête de l'auteur, Charles Charles 38. Dans cette tête, le décor représente la mer un soir de pleine lune.

Odeur de sel et de poisson frais.

Bruit d'un harmonica, bruit des vagues.

1

Silence. Le noir. Les quatre personnages sont en scène. Attitudes, gestes et éclairages tels que décrits par Charles Charles, 38 ans, qui s'adresse au public ; il est d'abord invisible.

CHARLES CHARLES 38

Odeurs de sel et de poisson frais. Bruit d'un harmonica, bruit des vagues. Projecteur sur trois garçons. Enveloppés dans la fumée bleue de leurs cigarettes, avachis dans un coin, serrés les uns contre les autres comme un seul monstre à trois têtes, ils fixent le public avec méfiance. Ils ont pourtant l'air égaré, dépaysés comme des bêtes de cirque avant le spectacle et c'est un peu ce qu'ils sont, ces trois garçons aux cheveux blonds tout juste bons à être beaux. Ils portent le blue jeans coupe 1919 et leurs doigts et leurs torses brillent de signes cabalistiques, l'Étoile à six branches, et les nombreux symboles, l'Échelon des cieux et de la terre, l'Onyx de la Contemplation, la Turquoise des Antagonistes, le médaillon du Zen chinois. Le garçon de droite et le garçon de gauche portent à la ceinture un grand couteau effilé. Le garçon du centre est l'auteur de la pièce. C'est un peu comme s'il avait un couteau, lui aussi... Près des trois garçons, un sac. Ce sac contient un enfant.

L'énigme de la pièce : « Savaient-ils que ce sac contenait un enfant ? »

Projecteur sur Charles Charles ; un grand jet blanc, comme un rayon de lune sur son costume d'aliéné. La scène est envahie de sa présence, théâtre ce soir, 19 juillet, théâtre et pleine lune dans le grenier d'une cage un soir d'été. Il se tient lui aussi face au public, mais à l'écart des trois garçons. Il a 38 ans. Tempes légèrement grisonnantes, regard d'un halluciné, sourire figé. Dès le premier coup d'œil, on sait qu'il est fou et on sait que dix-neuf ans plus tôt il a été beau. Comme il s'avance vers le public, les trois garçons sont plongés dans le noir. L'intonation d'un illuminé, Charles Charles dit :

— « Charles Charles, 38 ans, auteur dramatique et comédien, leur dire que je suis fou. Autrefois l'acteur l'un des plus prometteurs de la Nouvelle-Angleterre. Ma fin de carrière : l'une des plus prématurées et des plus éblouissantes de l'histoire. Depuis je suis seul. Depuis, c'est un one-man-show. Mesdames et Messieurs. »

Décor : une table et quatre chaises. Le texte de la pièce est sur la table...

La scène se passe dans une clinique de Chicago, le 19 juillet 1938, soit dix-neuf ans plus tard.

Charles Charles 38 marche vers la table, s'y assoit, tire une cigarette de sa poche. Du revers de sa cigarette, il frappe les trois coups du début de la pièce. Il allume. Il fume. Un temps.

2

Charles Charles 38 est saisi d'un tremblement convulsif. Il semble en proie à des cauchemars. Long silence. Un des trois garçons, quittant le groupe des comédiens, s'approche de Charles Charles 38. Il a 19 ans, et son nom est aussi Charles Charles. Il s'adresse au public, parle d'un ton exalté.

CHARLES CHARLES 19

Charles Charles, 19 ans. Auteur dramatique et comédien. Je suis l'un des acteurs les plus prometteurs de la Nouvelle-Angleterre. Je suis de la relève. J'ai étudié avec Eugène O'Neill, j'ai fait mes débuts il y a trois ans dans *Bound East for Cardiff,* j'ai 19 ans. Ma dernière pièce est un chef-d'œuvre. C'est un one-man-show à trois personnages, un suspense sur le thème de la beauté. C'est une œuvre injouable, je le sais, mais je sais qu'elle sera montée quand même. Elle ne pourra être montée qu'une seule fois, j'ai choisi un soir de pleine lune, le soir de mes 19 ans. Je sais que je risque la fin de ma carrière, peu importe, il faut jouer le chef-d'œuvre. Mesdames et Messieurs, le théâtre auquel vous allez assister ce soir va vous prendre à témoin du sacrifice de la beauté. Ce sac contient un enfant. À la fin de la pièce, l'enfant sera éventré de dix-neuf coups de couteau sous vos yeux.

Charles Charles 38 et Charles Charles 19 disent simultanément :

CHARLES CHARLES 19

La scène se passe au Provincetown Playhouse, le 19 juillet 1919, un soir de pleine lune, j'ai 19 ans.

CHARLES CHARLES 38

La scène se passe dans une clinique de Chicago, le 19 juillet 1938, soit dix-neuf ans plus tard.

CHARLES CHARLES 19

J'ai 19 ans.

CHARLES CHARLES 38

Soit dix-neuf ans plus tard.

3

Les deux Charles Charles, dont on sait maintenant qu'il s'agit d'une seule et même personne, font face au public.

CHARLES CHARLES 19

Mesdames et Messieurs, la pièce que vous allez voir est l'œuvre d'un jeune auteur dangereusement malade. Il est encore temps pour vous de sortir.

CHARLES CHARLES 38, *avec empressement, suppliant*

Non, restez!... On ne va pas vous faire de mal!...

Charles Charles 19 et Charles Charles 38 se regardent.

CHARLES CHARLES 19

Toi?

CHARLES CHARLES 38

Toi?

CHARLES CHARLES 19

C'est la dernière fois.

CHARLES CHARLES 38

Hier aussi, t'as dit ça.

CHARLES CHARLES 19

Aujourd'hui, c'est promis, c'est la dernière fois. Tu comprends, aujourd'hui...

CHARLES CHARLES 38

Justement, aujourd'hui, t'aurais pu faire un effort!

CHARLES CHARLES 19

Dix-neuf ans, je me suis dit...

CHARLES CHARLES 38

Aucune excuse! Tu es ennuyant.

CHARLES CHARLES 19

Je le sais. Je suis fascinant.

CHARLES CHARLES 38

Ennuyant.

CHARLES CHARLES 19

Je le prends comme un éloge. Jusqu'à maintenant, j'ai eu que des éloges.

CHARLES CHARLES 38

Prépare-toi! Tu fais que commencer ta carrière.

CHARLES CHARLES 19

Tu sais quel jour on est, hypocrite? Tu sais que c'est ce soir que je termine ma carrière?

CHARLES CHARLES 38,
un éclair dans le regard

Aurait fallu écrire ça sur l'affiche: « SOIRÉE D'ADIEUX ». Le public aime qu'on lui arrache le cœur. Moi-même à ton âge...

Mais il s'interrompt. Un temps. Charles Charles 19 s'approche de lui. Affectueux:

CHARLES CHARLES 19

Happy birthday, Charles Charles!

CHARLES CHARLES 38

Happy birthday!... Je leur ai dit: « Aujourd'hui c'est mon anniversaire j'aimerais qu'on me fasse un gâteau avec dix-neuf chandelles une pour chaque année de mon séjour ici c'est pas trop demander j'ai jamais rien demandé je pourrais en demander trente-huit j'ai 38 ans mais dix-neuf je m'en contente on dira à ceux qui poseront des questions 19 plus 19 ça fait 38 tes 19 ans plus les miens ça fait 38 on partagera le gâteau puisque tu es revenu 19 ans tu es revenu avec tes 19... Ils ont dit non qu'ils ont dit... ils ont dit vous êtes plus un enfant qu'ils ont dit...

Il éteint sa cigarette. Pensif, il murmure des paroles inaudibles. Puis:

CHARLES CHARLES 38

Qu'est-ce que je disais...

CHARLES CHARLES 19

Tu disais que quand t'avais mon âge...

CHARLES CHARLES 38

Ah oui... oui...

Un temps.

CHARLES CHARLES 19

Notre anniversaire, Charles Charles! Faut célébrer!

CHARLES CHARLES 38

Je veux célébrer tout seul.

CHARLES CHARLES 19

Je t'ai apporté le plus beau des cadeaux... Je veux jouer pour toi... Je veux te faire du théâtre! Je veux t'éblouir! Je veux t'offrir en cadeau tes 19 ans! Du théâtre!

CHARLES CHARLES 38

Non, non, non, non, non, non, non, pas aujourd'hui!

CHARLES CHARLES 19

Oh, pas comme d'habitude, d'habitude on fait qu'en parler! D'habitude on fait que semblant! Mais aujourd'hui... regarde! Il y a du monde!

CHARLES CHARLES 38

Mais non, y a personne.

CHARLES CHARLES 19

Y a du monde!... Plein de monde au Provincetown Playhouse...

CHARLES CHARLES 38, *avec un rire très bref*

Ah, assez! tu vas finir par me rendre fou pour vrai!

CHARLES CHARLES 19

Tu es fou. C'est toi qui l'as dit. Tu l'as dit au juge, aux avocats, aux policiers, à tout le monde. C'est toi qui as choisi de venir vivre ici, vivre avec des fous dans une maison de fous.

CHARLES CHARLES 38, *après un temps, amusé tout à coup*

J'avais ton âge quand j'ai dit ça...

CHARLES CHARLES 19

Ouais... tu étais bien jeune...

CHARLES CHARLES 38, *fixant le vide, l'air égaré*

« Le saviez-vous qu'il y avait un enfant dans le sac? »

CHARLES CHARLES 19, *soudain effrayé, mi-voix*

Que... qu'est-ce que je devrai répondre?

CHARLES CHARLES 38

TU-TE-TAIS!

4

L'éclairage change d'intensité.

CHARLES CHARLES 38

Le juge: «Le saviez-vous qu'il y avait un enfant dans le sac?»

CHARLES CHARLES 19

L'auteur: «Au point où j'en suis... je ne sais plus... même si je savais...»

CHARLES CHARLES 38

Le juge: «Le saviez-vous oui ou non?»

CHARLES CHARLES 19

L'auteur: «Vous voulez dire... dans la réalité? Vous savez bien que si je l'avais su, j'aurais interrompu la pièce... Mais maintenant, à quoi ça sert? Qu'est-ce que ça peut changer? La pièce s'est terminée, et l'enfant a été éventré. Dix-neuf coups de couteau dans le ventre, vous admettrez que pour un théâtre de la vérité, ç'a été réussi.»

CHARLES CHARLES 38

Un théâtre de la vérité?...

CHARLES CHARLES 19

Oui, monsieur, un théâtre de la vérité. Mon Dieu, comment est-ce que je vous dirais bien...

Nous, ça fait dix-neuf ans qu'on y consacre notre vie, alors vous expliquer ça en deux mots... C'est différent de ce qu'on représente d'habitude... Face au public, on dit les choses, comme elles devraient être dites, dans la vie... On dit: «Tous autant que vous êtes, vous êtes des crétins.» Mais on ne peut pas dire que notre théâtre s'est donné comme mission d'éventrer les enfants... ce serait interpréter, ce serait jouer sur les mots, enfin... ce serait confondre les choses...

CHARLES CHARLES 38

Maintenez-vous toujours que vous êtes fou?

Charles Charles 19 acquiesce d'un signe de tête.

CHARLES CHARLES 38

En quoi êtes-vous fou?

CHARLES CHARLES 19, *après réflexion*

... J'écris des pièces que seul un fou peut écrire!

CHARLES CHARLES 38

Un exemple, s'il vous plaît! Un exemple concret.

CHARLES CHARLES 19

Y en a pas. À proprement parler, y en a pas. Chaque réplique isolée est pleine de bon sens, y compris celle qui a été dite durant qu'on éventrait l'enfant, je veux dire pendant qu'on immolait la victime. Vous voyez, c'est seulement quand les spectateurs se retrouvent dans la rue, après la pièce, qu'ils prennent conscience subitement qu'ils viennent d'assister à l'œuvre d'un fou.

CHARLES CHARLES 38

Pourquoi seulement qu'après?

CHARLES CHARLES 19

Un enfant vivant, c'était l'idéal. Là, l'immolation devenait réellement concrète. Être cynique, on pourrait dire que c'est heureux qu'un pareil hasard soit arrivé.

CHARLES CHARLES 38

Il n'existe qu'un seul manuscrit de votre pièce?

CHARLES CHARLES 19

Oui.

CHARLES CHARLES 38

Le chiffre 19 revient souvent dans le texte.

CHARLES CHARLES 19

Dix-neuf coups de couteau, oui.

CHARLES CHARLES 38

Pourquoi dix-neuf? Pourquoi ce chiffre revient-il si souvent?

CHARLES CHARLES 19

C'était le 19 juillet 1919 et ce soir-là je fêtais mes 19 ans.

CHARLES CHARLES 38

Pouvez-vous m'expliquer le rapport?

CHARLES CHARLES 19

Y en a pas.

Un temps. Ton narratif:

CHARLES CHARLES 19

Récapitulons: le 19 juillet 1919, au Provincetown Playhouse...

CHARLES CHARLES 38

... le jeune Frank Anshutz, 5 ans, est éventré de dix-neuf coups de couteau durant une pièce montée par le groupe des Provincetown Players. Le massacre...

CHARLES CHARLES 19

... ou l'immolation...

CHARLES CHARLES 38

... qui a eu lieu sur scène est apparemment dû à un accident.

CHARLES CHARLES 19

Il est à supposer qu'un maniaque a remplacé l'ouate que contenait le sac par l'enfant qui avait préalablement été drogué à la morphine.

CHARLES CHARLES 38

Les trois comédiens de la pièce ont été retenus comme suspects. Charles Charles, auteur de la pièce et comédien principal, 19 ans...

WINSLOW

Winslow Byron, 19 ans...

ALVAN

... Et Alvan Jensen, 19 ans également.

CHARLES CHARLES 38

Les trois suspects qui ont comparu ce matin devant le juge Taylor de la cour du Rhode Island nient formellement avoir été informés que le sac contenait un enfant.

CHARLES CHARLES 38

« Dans la pièce que vous jouiez, que devait contenir ce sac ? » a demandé le juge au jeune Byron.

CHARLES CHARLES 19

« Hélas, un enfant ! » a-t-il répondu.

Extrait des *Mémoires* de Charles Charles

Nous étions les comédiens les plus remarqués de Cape Cod. D'ailleurs, nous nous ressemblions, c'en était hallucinant. Les gens nous confondaient dans notre grande splendeur commune. Vrai, nous étions si superbes que l'image de nos allées et venues confondait, comme l'eau sur le sable, les mauvaises actions dont on nous soupçonnait... Ces jours qui précédèrent ce samedi de juillet, ils ne furent pas nombreux, mais aujourd'hui je reconnais que ce fut la plus grande époque de ma vie.

5

CHARLES CHARLES 19

Le début de la pièce est pour le moins bizarre.

CHARLES CHARLES 38

C'est l'œuvre d'un fou.

CHARLES CHARLES 19

Oui, je le sais... *(Il lit:)* «Théâtre de l'immolation de la beauté.» Dès les premiers tableaux — au fait, cette pièce en comporte dix-neuf — dès les premiers tableaux, dis-je, on annonce le meurtre.

CHARLES CHARLES 38

L'immolation.

CHARLES CHARLES 19

On peut même voir ce sac qui contient l'enfant, près des trois garçons. Il est écrit que deux de ces garçons portent un couteau à la ceinture.

CHARLES CHARLES 38

Et que l'auteur n'en a pas.

CHARLES CHARLES 19

L'auteur: «Erreur! J'ai écrit: C'est comme s'il en avait un, lui aussi.»

Le juge: «Que voulez-vous dire?»

L'auteur: «Ça, monsieur le juge... Comme s'il en avait un.»

Le juge: «Comme s'il en avait un quoi?»
L'auteur, excédé: «UN COUTEAU!»

CHARLES CHARLES 38

L'idée des couteaux, avouez que c'était génial! Les plus grandes histoires d'amour fonctionnent au couteau! Les plus nobles assassinats, les plus grands suicides, enlevez le couteau et qu'est-ce qu'il nous reste! Surtout ne pas oublier que l'enfant était drogué à la morphine et que par conséquent il est mort heureux. Un seul coup de couteau a dû être suffisant d'ailleurs. Les dix-huit autres, c'était pour la cohérence.

CHARLES CHARLES 19

Le juge: «La réaction du public?»

CHARLES CHARLES 38

L'auteur, qui fouille dans ses souvenirs: «... Le public a adoré... conquis dès le début... c'est le genre de truc qui plaît.»

CHARLES CHARLES 19

Le juge: «Mais à la fin, quand on immole?»

CHARLES CHARLES 38

L'auteur: «... Un grand silence, si je me souviens bien... Ils n'y ont pas cru, eux... Ils comptaient les coups, sachant qu'il y en aurait dix-neuf, ça allait de soi... je dirais même qu'ils ont dû compter à rebours, en commençant par 19, comme pendant les dernières secondes d'un match de boxe... S'ils avaient su que le sang qui s'écoulait du sac, c'était du vrai sang d'enfant...»

CHARLES CHARLES 19

S'ils avaient su?

CHARLES CHARLES 38

... On s'était payé une hurleuse. Dans la troisième rangée. Cinquante sous pour la soirée. Elle devait hurler aux endroits prévus. Alvan devait lui faire signe, comme ça...

CHARLES CHARLES 19

Elle a hurlé?

CHARLES CHARLES 38

Au début, elle hurlait assez régulièrement.

CHARLES CHARLES 19

Et à la fin, durant les dix-neuf coups de couteau?

CHARLES CHARLES 38

La pièce était assez hermétique, je dois dire. La hurleuse s'est endormie.

CHARLES CHARLES 19

Même si on avait annoncé le meurtre de l'enfant?

CHARLES CHARLES 38

L'immolation. Dites «immolation», s'il vous plaît...

CHARLES CHARLES 19

Le juge: «À l'heure actuelle, j'ai bien peur qu'il s'agisse d'un crime.»

CHARLES CHARLES 38

L'auteur : « Immolation. Le théâtre doit renouer avec la tradition grecque. L'enfant s'appelait Astyanax. Relisez vos classiques. »

CHARLES CHARLES 19

Expliquez-moi cette allusion à la tragédie grecque.

CHARLES CHARLES 38

Agamemnon, le roi d'Argos, avait incendié la ville de Troie et massacré tous les hommes qui s'y trouvaient. À l'exception d'un seul. Un oubli. Un enfant.

CHARLES CHARLES 19

Et alors ?

CHARLES CHARLES 38

Quoi, et alors ? L'enfant terrorisait la Grèce. On l'a immolé.

CHARLES CHARLES 19

Je crois comprendre... Vous voulez plaider la cause d'Agamemnon pour vous disculper ? Mais il s'agit d'une histoire. Une fiction. Une hypothèse. Je m'y oppose.

CHARLES CHARLES 38

Une histoire authentique. On peut qu'être d'accord ou en désaccord. Mais on ne peut pas s'y opposer.

CHARLES CHARLES 19

C'est de l'invention. Je m'y oppose.

CHARLES CHARLES 38

Un chef d'œuvre ! Et d'une cohérence !

CHARLES CHARLES 19

Dites plutôt que c'est sadique. Et je n'aime pas les choses sadiques. Je ne suis pas un amateur de choses sadiques. Changeons le sujet de cet interrogatoire.

Un temps.

CHARLES CHARLES 38

Un peu froid n'est-ce pas ?

CHARLES CHARLES 19

Plutôt frais.

CHARLES CHARLES 38

C'est à cause du vent du large.

CHARLES CHARLES 19

La pleine lune va nous apporter du temps plus doux.

CHARLES CHARLES 38

C'était un soir de pleine lune... il faisait clair... il faisait chaud... dehors on entendait l'harmonica... le bruit des vagues... En haut, on montait le théâtre de l'immolation de la beauté...

CHARLES CHARLES 19

J'étais la beauté...

CHARLES CHARLES 38

Et les deux autres... Winslow Byron, et Alvan Jensen...

CHARLES CHARLES 19

Ce jour-là, Winslow s'était battu avec un Noir, sur la plage. On reparla beaucoup de cette bagarre par la suite... comme s'il devait y avoir un rapport avec notre pièce... Tu te souviens, Charles Charles, comme tu étais fier de Winslow, cet après-midi-là, comme il était beau ton amant quand il s'est relevé, l'air de dire à la face du monde entier : je sais me battre ! J'aime les garçons, mais je suis capable de me battre ! Et ce soir-là, au théâtre... souviens-toi comme il était beau, Winslow ! Winslow Byron, j'ai écrit une pièce sur le thème de la beauté. Tu veux jouer la beauté avec moi, Winslow ? Répétitions du premier au 18 juillet, représentation le 19, dans le grenier de la poissonnerie. Pleine lune ce soir, 19 juillet 1919. J'ai écrit à monsieur Stanislavski et il fera le voyage exprès.

CHARLES CHARLES 38

Il était effectivement des nôtres, le monsieur Stanislavski. Il était assis de biais, il attendait impatiemment que le spectacle commence... Une minute avant le début de la représentation, j'ai pu voir qui était dans la salle... Ah... Lee Strasberg, grand perruquier de New York, assis dans la première rangée... Et derrière... Monsieur Eugène O'Neill ! Ah, monsieur O'Neill, il ne faut pas vous attendre à du génie, mais vous allez voir qu'on a du talent!... Oh, monsieur Vaughn Moody, fallait pas vous déranger pour si peu... bonjour Monsieur... et vous, ah ! je ne vous avais pas reconnu...

Tout en parlant, il prend place pour assister à la représentation. D'une voix forte, Charles Charles 19 dit :

CHARLES CHARLES 19

Silence !

Du revers de son couteau, Winslow frappe les trois coups.

Extrait des *Mémoires* de Charles Charles

À côté de monsieur Strasberg, une dame avait dit: «Enfin, un jeune auteur qui va nous parler de la beauté!» Tout se mit à tourner dans ma tête. Elle allait ajouter quelque chose, mais je ne compris pas; parce qu'au même moment mon ami Winslow frappa du revers de son couteau les trois coups du début de la pièce. Puis le grand silence, le silence des juges attentifs, le silence froid et ordonné se fit.

6

La pièce. Odeurs de sel et de poisson frais. Bruit d'un harmonica, bruit des vagues. Projecteur sur trois garçons. Ils portent le blue jeans coupe 1919 et leurs doigts et leurs torses brillent de signes cabalistiques, l'Étoile à six branches, et les nombreux symboles, l'Échelon des cieux et de la terre, l'Onyx de la Contemplation, le Turquoise des Antagonistes, le médaillon du Zen chinois.

Winslow se lève, brandit son couteau et s'écrie :

WINSLOW

Avez-vous vu la pleine lune ? Sinon allez la voir, courez, courez...

ALVAN

Elle est un rond de rêves, elle a les enduits bleus de Neptune !

CHARLES CHARLES 19

Je suis la pleine lune. Je suis celle qui, dans sa rareté, a fait surgir du debout de l'Occident ses rayons pour opposer sa loi au soleil.

WINSLOW

Comme elle est blanche... elle est toute en lumières !

ALVAN

Elle a rassemblé ses croissants... en passant par les villes... Seattle... Salt Lake City... Indianapolis... Cleveland... Boston...

WINSLOW

À Boston, il ne lui manquait plus qu'un tout petit reflet... à peine une filandre... oh, si on n'avait pas de bons yeux, on disait qu'elle était pleine, mais moi j'étais à Boston hier au soir, et j'ai bien vu qu'il lui manquait... comme une étincelle... Et elle nous est arrivée ce soir, sur la plage de Cape Cod, ronde, pleine, belle... blanche...

ALVAN

Pleine de lumières... blanche...

CHARLES CHARLES 19

Mesdames et Messieurs, bienvenue au théâtre! La pièce que nous allons jouer pour vous ce soir a été écrite par un jeune auteur et sera interprétée par deux de ses jeunes amis comédiens et lui-même. Il se peut que nous fassions quelques erreurs, que nous ayons quelques blancs de mémoire, car nous n'avons eu que très peu de temps pour préparer ce spectacle; mais nous savons à l'avance, et nous vous en remercions, que vous serez indulgents.

WINSLOW

Esprit du bien, que me veux-tu?

ALVAN

Je veux connaître le mal qui est en toi, esprit du mal.

WINSLOW

Comment t'y prendras-tu, toi qui ne me connais pas ?

ALVAN

Je ne te connais ni ne te vois, mais pourvu que tu m'entendes, je te saurai sentir.

WINSLOW

Esprit cruel, c'est par la beauté que tu sentiras le mal.

ALVAN

Ô chimère, ô calamité...

WINSLOW

Ô totalité funeste de notre rixe. Ne me heurte.

ALVAN

Tu ne m'émeus.

WINSLOW

Alors, vois. Ce sac contient l'enfant que tu occiras.

Charles Charles 38 s'agite depuis un moment. Il interrompt soudainement :

CHARLES CHARLES 38

Non, attendez !... Il faut recommencer... le sac ! le sac ! Le sac n'est pas éclairé ! Comment voulez-vous que les gens comprennent l'importance du sac s'il n'est pas éclairé ! Je me mets dans la peau d'un spectateur moyen, eh bien je ne comprends rien !

CHARLES CHARLES 19

Silence pendant la représentation !

CHARLES CHARLES 38

J'exige que le sac soit mieux éclairé !

CHARLES CHARLES 19

Le voyez-vous, le sac, oui ou non ?

CHARLES CHARLES 38

Et moi je vous dis qu'on ne le voit pas assez ! C'est mon sac ! Monsieur le régisseur ! Pourriez-vous, s'il vous plaît, éclairer le sac ?

CHARLES CHARLES 19

Il fallait y penser avant !

CHARLES CHARLES 38

Mieux vaut tard que jamais. Allez, le sac ! Le sac ! Pas moi ! Le sac !... *(Le sac s'éclaire.)* ... Bon, c'est un peu mieux. Alors, qu'est-ce que vous attendez ? Continuez la représentation !

CHARLES CHARLES 19

Si vous ne parliez pas tant, monsieur, nous pourrions peut-être...

CHARLES CHARLES 38

Aucun commentaire. Reprenez sur la dernière réplique.

WINSLOW

Alors, vois. Ce sac contient l'enfant que tu occiras.

ALVAN

Moi, occire?

WINSLOW

Toi, vil!

CHARLES CHARLES 38

Non, non, décidément, il faut recommencer. Ça manque d'atmosphère, de ferveur! Moi, occire! C'est un cri, c'est un déchirement. Pas un marmonnement. Recommençons depuis le début.

WINSLOW

Depuis le tout début?

CHARLES CHARLES 38

Cette pièce n'a qu'un début! Silence! On reprend!

7

Odeurs de sel et de poisson frais. Bruit d'un harmonica, bruit des vagues. Projecteur sur trois garçons, etc.

Tandis que la pièce recommence à mi-voix, Charles Charles 38 se tourne vers le public :

CHARLES CHARLES 38

J'avais annoncé à mon public : « J'ai conçu une pièce spéciale, je l'ai écrite spécialement pour un public intelligent. » Des coulisses, j'entendais les commentaires venant de la salle, une voix de femme qui disait : « Moi j'adore, moi j'adore... », une autre voix de femme qui disait : « Enfin, un jeune auteur qui va nous parler de la beauté ! »...

Vous savez, j'ai vécu des angoisses abominables en écrivant ma pièce. Par moment, j'ai été assailli des doutes les plus effrayants : est-ce qu'ils vont s'apercevoir que le théâtre est devenu de moins en moins accessible... ? Est-ce qu'ils vont penser que l'enfant, c'est une gratuité, une facilité...? Encore si on avait joué dans un grand théâtre, ou dans un endroit isolé... mais non, on jouait au-dessus d'un marché, ça sentait le poisson, il y avait de la musique en bas, tout était contre nous... Au septième tableau, la salle se viderait, ça allait de soi... Il fallait trouver autre chose que des rituels. Le public déteste les rituels. Alors j'ai décidé d'écrire un coup de théâtre prodigieux! Sublime! Inouï! Je revois la scène, c'est d'une précision!...

8

WINSLOW

Alors, vois ! Ce sac contient l'enfant que tu occiras !

ALVAN

Moi, occire !

WINSLOW

Toi, vil !

CHARLES CHARLES 38

Oh, c'est d'une précision, comme si c'était hier ! C'est à ce moment-là, je vous le jure !

CHARLES CHARLES 19

Quoi ? Le coup de théâtre ?

CHARLES CHARLES 38

Si on peut appeler ça un coup de théâtre... On en a vu de plus prévisibles !

CHARLES CHARLES 19

C'est à cause du sac... *(Il lit le texte à voix haute :)* Les comédiens se tournent vers le sac. Silence. Immobilité. L'effet doit surprendre, semer l'angoisse, doit tenir le spectateur en haleine...

CHARLES CHARLES 38

Justement, c'est raté ! C'est raté à cause de lui ! À cause de lui. C'est un coup monté !

CHARLES CHARLES 19

Oui, c'est raté. Il manquait plus que lui, le retardataire.

CHARLES CHARLES 38

Alors tout le monde s'est retourné vers le retardataire, tout le monde voulait savoir c'était qui, et lui, le retardataire, il enjambait chaque spectateur de la septième rangée...

CHARLES CHARLES 19

Il s'excuse à chaque fois; il est poli, le retardataire, plus ça va plus il se confond en excuses, et plus les gens sont intrigués. « Qui est-il, qui c'est qu'il est ce monsieur en retard? » Tout le monde chuchote, je ne sais pas ce qui nous retient de lui crier d'un bout à l'autre du théâtre qu'il nous dérange!

CHARLES CHARLES 38

C'est ça! Regardez-le! À la fin il se rend compte qu'il s'est trompé de rangée, est-ce qu'il va enjamber comme ça tous les spectateurs un par un?

CHARLES CHARLES 19

Projecteur sur un retardataire!

ALVAN, *brandissant son couteau*

On aura tout vu!

CHARLES CHARLES 19

Ah, il ne manquait plus que ça!

CHARLES CHARLES 38

Nous étions hors de nous! Il pouvait pas choisir un pire moment! Arriver comme ça, en plein milieu d'une pièce, quand on a annoncé à huit heures, quand on s'est donné la peine d'insister!

WINSLOW, *brandissant son couteau*

C'était à huit heures! Pas à huit heures et demi! Monsieur!

CHARLES CHARLES 19

Regardez ça! C'est typique! Non satisfait d'avoir dérangé tout le monde, maintenant monsieur veut tout savoir! Demande à gauche et à droite qu'est-ce qui s'est passé...

CHARLES CHARLES 38

C'est qu'il chuchotait fort, le monsieur! Qu'on comprenait tout!

CHARLES CHARLES 19

Un sac?

WINSLOW

Pourquoi faire un sac?

ALVAN

Qu'est-ce qu'ils font, c'est l'entracte?

CHARLES CHARLES 19

Moi je n'y comprends rien, mais rien du tout!

WINSLOW

Oh, ils ont des couteaux!

ALVAN

Je parie qu'ils vont se battre, tiens!

CHARLES CHARLES 19

Ça me rappelle une pièce...

WINSLOW

Vous vous rappelez?

ALVAN

Oui, j'ai déjà vu cette pièce-là...

CHARLES CHARLES 19

Le type à gauche c'est son beau-frère.

WINSLOW

Vous allez voir!

ALVAN

La fin de la pièce est tout à fait inattendue!

CHARLES CHARLES 38

Silence! VOUS DÉRANGEZ! TAISEZ-VOUS!

CHARLES CHARLES 19

Et puis le retardataire prend soudainement conscience qu'il est en retard.

WINSLOW

C'était à huit heures?

ALVAN

Moi qui croyais...

WINSLOW

Je ne me corrigerai jamais!

ALVAN

Cette histoire de sac m'intrigue...

WINSLOW

J'apprendrai jamais! J'apprendrai jamais à arriver à l'heure!

CHARLES CHARLES 38

Le succès de la pièce était compromis! A fallu tout recommencer. Sans quoi ç'aurait été impossible de continuer. Imaginez-vous... vous êtes l'auteur, vous jouez le rôle principal, et vous avez beau vous concentrer, vous savez, c'en est une idée fixe, vous *savez* qu'il y a quelqu'un dans la salle qui comprend pas un mot de ce que vous dites parce qu'il a manqué le début, alors il a fallu tout recommencer, à cause de lui, tout recommencer depuis le début!

9

Musique accélérée. Gestes et paroles des comédiens à peine compréhensibles. La pièce recommence, les répliques se chevauchent, les mots sont escamotés.

CHARLES CHARLES 19

Projecteur sur trois garçons enveloppés dans la fumée bleue de leurs cigarettes...

WINSLOW

... projecteur sur un sac l'énigme de la pièce savaient-ils que ce sac contenait un enfant...

ALVAN

le 19 juillet 1938 soit dix-neuf ans plus tard la pièce est l'œuvre d'un jeune auteur dangereusement malade...

CHARLES CHARLES 38

... tu es fou c'est toi qui l'as dit tu l'as dit aux juges aux avocats aux policiers ...

WINSLOW

... ce jour-là Winslow s'était battu avec un Noir sur la plage on reparla beaucoup de cette bagarre par la suite...

ALVAN

... projecteur sur trois garçons...

CHARLES CHARLES 19

... je suis la pleine lune...

WINSLOW

... Non, non décidément il faut recommencer, ça manque d'atmosphère, de ferveur, c'est un déchirement pas un marmonnement...

ALVAN

Projecteur sur un retardataire!

CHARLES CHARLES 38

Il fallait trouver autre chose que des rituels le public déteste les rituels...

WINSLOW

Bruit d'un harmonica bruit des vagues...

CHARLES CHARLES 19

Projecteur sur trois garçons!

ALVAN

Projecteur sur un sac!

WINSLOW

Projecteur sur un retardataire!

CHARLES CHARLES 38

Et nous pouvons continuer!

CHARLES CHARLES 19

Neuvième tableau. Tableau des sonorités en « eu » !

WINSLOW

Dix-neuf défunts disent aux neveux novateurs.

ALVAN

« ... ne noue le feu et ne nie les œufs d'Yseult ! »

CHARLES CHARLES 38

Tableau des consonnes liquides !

CHARLES CHARLES 19

Lo, la, li, elle est là...

WINSLOW

Lou, la lou, le loup l'a lue...

ALVAN

La lune, elle est là !

CHARLES CHARLES 19

Elle est pleine, la lune.

CHARLES CHARLES 38

Tableau des sifflantes !

TOUS

Le céçacé.

CHARLES CHARLES 38

... des sifflements !

Tous sifflent longuement.

CHARLES CHARLES 38

... et de la lettre P !

TOUS

Provincetown Playhouse !

10

CHARLES CHARLES 38

Puis au dixième tableau, il est arrivé un autre retardataire. Puis un autre encore... à chaque fois il fallait recommencer la pièce depuis le début. Quand un quatrième retardataire a fait irruption dans la salle, j'ai failli éclater en sanglots, je vous jure. Mais je me suis retenu, je me suis dit: « Charles Charles, va falloir que t'apprennes... » On pouvait pas recommencer la pièce une quatrième fois, les gens dans la salle, ceux qui étaient arrivés à l'heure, ils commençaient à s'impatienter, ils connaissaient le début par cœur, eux... on les entendait chuchoter « Juillet 1919, j'avais 19 ans... » ou encore « Le savaient-ils qu'il y avait un enfant dans le sac? » On s'était payé une hurleuse, on se retrouvait avec cent cinquante souffleurs! alors c'était pas drôle pour eux, ni pour nous, on n'avait pas le droit de les punir pour des retardataires, ils commençaient à regretter d'être venus à l'heure... alors on a dit au quatrième retardataire: « ASSEYEZ-VOUS, PUIS FERMEZ-LA! »

...

La pièce a continué. On a recréé un climat, de peine et de misère.

...

Et puis il y a eu la fin... j'allais dire « si inattendue! »...

CHARLES CHARLES 19

Mesdames et messieurs, le théâtre auquel vous avez assisté ce soir vous a pris à témoin du sacrifice de la beauté. Nous l'avons éventré de dix-neuf coups de couteau, sous vos yeux. Retournez chez vous, la comédie est finie!

CHARLES CHARLES 38

Dix-neuf coups de couteau, oui... Un des retardataires a demandé qu'est-ce qu'il y avait dans le sac. Et tous les spectateurs ont répondu en chœur, c'était divin comme effet: « Un enfant »... C'est qu'ils ne pouvaient pas savoir... Et nous non plus, comment est-ce qu'on aurait pu prévoir... Il y a eu un grand silence, puis je me souviens d'avoir dit quelque chose comme quoi l'enfant était mort... il y a eu quelques applaudissements... on a salué deux fois... non, trois fois... puis quand les spectateurs ont quitté le théâtre, on s'est mis à nettoyer la salle. Le propriétaire de la poissonnerie est monté, voir s'il n'y avait pas trop de dégâts... quand il a vu le sang, il a demandé qu'est-ce que nous avions fait, par curiosité. Nous, on utilisait du sang de cochon, pour la ressemblance... mais pour rire, Alvan lui a répondu qu'on avait éventré un enfant. Le propriétaire qui avait le sens de l'humour a ri de bon cœur, puis pour s'assurer que c'était une blague, je suppose, il a ouvert le sac et puis...

et puis il y a eu les journaux, les rumeurs...

Et puis il y a eu le procès...

Extrait des *Mémoires* de Charles Charles

Il est difficile de se remémorer ce 19 juillet 1919 sans évoquer le procès qui s'ensuivit et qui, pour deux d'entre nous, dura plus de deux ans. Avec toutes ces années de recul, aujourd'hui, l'histoire de ma vie ressemble à une grande bizarrerie. Ici, la beauté et la laideur voisinent avec un certain acharnement, mais ce qui semble des siècles de laideur ne saurait amoindrir en aucune façon ces quelques heures de beauté. Comme le silence qui fait le cri, le procès fit de ce 19 juillet un jour de grandeur, et qui, sans cet hilare prolongement, eût été comparable à la grandeur des plages.

11

CHARLES CHARLES 19

Projecteur sur Winslow.

WINSLOW

Provincetown Playhouse, juillet 1919, j'avais 19 ans.

TOUS, *sauf Winslow*

Nom. Prénom.

WINSLOW

Byron, Winslow.

CHARLES CHARLES 19

Dites : « Je le jure. »

WINSLOW

Je le jure.

TOUS

Depuis combien de temps connaissez-vous Charles Charles et Alvan Jensen ?

WINSLOW

J'ai rencontré Charles Charles il y a trois ans. C'était durant les répétitions de *Bound East for Cardiff*. Je n'ai pas honte de dire qu'il était mon amant. Pour ce qui est d'Alvan, Charles Charles et moi on l'avait rencontré six mois plus tôt, à Cape Cod. Il était allé à Moscou, il connaissait bien la danse, il avait un très beau corps, on l'a intégré au groupe.

TOUS

Parlez-nous de ce fameux 19 juillet.

WINSLOW

Ce soir-là... c'était un samedi... on entendait l'harmonica, je me souviens, et aussi le bruit des vagues... je me souviens aussi que ça sentait le poisson frais dans la salle, ce qui irritait Charles Charles, un peu comme si c'était un signe avant-coureur que les choses allaient tourner en queue de poisson, c'est bien le cas de le dire. Le ciel était très clair à cause de la pleine lune. La mer commençait un nouveau cycle de marée et c'était très important pour nous que la pièce soit jouée ce soir-là, les conjonctures étaient bonnes. Il ne devait y avoir qu'une seule représentation. Vous comprendrez pourquoi. Et aussi c'était l'anniversaire de Charles Charles. Ce jour-là, il avait dessiné le chiffre 19 sur le sable. Il était fasciné par le chiffre 19. Et nous avions 19 ans tous les trois.

TOUS

Que devait contenir le sac de la pièce, dans la réalité ?

WINSLOW, *après réflexion*

Vous comprenez, un meurtre au théâtre a jamais le même impact qu'un meurtre dans la vie, alors même si on avait annoncé au début que le sac contenait un enfant et qu'on l'éventrerait, c'était rien d'encourageant. Pour répondre à votre question, dans la réalité, le sac devait contenir de l'ouate plus une petite poche qui devait renfermer du sang de cochon. À la fin de la pièce, Alvan et moi on a frappé. Alvan a frappé dix coups, moi j'ai frappé neuf coups. C'était l'apothéose.

TOUS

Ce sang que vous aviez à la lèvre, c'était voulu?

WINSLOW

Ah oui, ça me revient maintenant. C'est vrai, j'avais une coupure à la lèvre. Ça coïncidait bien avec mon personnage, mais pour répondre à votre question, non, c'était involontaire. Cet après-midi-là, je m'étais battu avec un Noir, vous devez le connaître, Webster Jones, à cause de son casier judiciaire assez chargé. Mais attention, je ne suis pas raciste! C'est lui qui m'a provoqué. Il m'avait insulté. Mais tout ça, aucun rapport. Voyez-vous, tout ça, c'est une allégorie. Aujourd'hui, c'est un peu triste à dire. Mais l'auteur était un génie. On a écrit dans les journaux des choses très péjoratives à son sujet, de quoi tuer un auteur. On a employé des termes négatifs: bestial, immonde. C'est dommage. Et notre réputation? Les gens nous tournent le dos, maintenant. Vous savez, monsieur le juge, ce sont des gens comme vous qui nous mettent des bâtons dans les roues. C'est vous qu'il aurait fallu mettre dans le sac.

Extrait des *Mémoires* de Charles Charles

[...] *Ce qu'on nous reprochait le plus, c'était l'exaltation. Défaut notoire, qui nous distinguait, Alvan, Winslow et moi, de ces autres fumistes dont le théâtre n'avait recours qu'à de tristes et médiocres pensées. Nos vues étaient plus audacieuses; nous disions que le théâtre était nos vies. Hélas, trop pris dans le dédale de l'Art, Alvan et Winslow furent les derniers à se rendre compte que nous dérangions. Quant à moi, je savais, dès le début, que même au théâtre un enfant ne pouvait être éventré sans susciter quelque rumeur.*

12

CHARLES CHARLES 19

Projecteur sur Alvan.

ALVAN

Provincetown Playhouse, juillet 1919, j'avais 19 ans.

TOUS, *sauf Alvan*

Nom. Prénom.

ALVAN

Jensen, Alvan.

TOUS

Dites : « Je le jure. »

ALVAN

Je le jure.

TOUS

Vous connaissiez bien les deux autres com...

ALVAN

J'avais accepté de me joindre au Provincetown Playhouse pour faire partie du Théâtre de l'immolation de la beauté. La pièce devait être représentée le soir du 19 juillet, un soir de pleine lune. La pièce commençait d'ailleurs avec une allusion à la pleine lune, pour ceux qui ont compris bien entendu, ... et... et aussi avec une allusion à l'événement tragique qui s'est produit à la fin de la pièce grâce à un malheureux concours de circonstances regrettables. Je jouais le rôle de la part du bien de l'esprit et j'ose espérer qu'on retrouvera le coupable qui m'a si bien ridiculisé. Évidemment, moi j'étais certain que le sac contenait de l'ouate et du sang de cochon et comme je croyais beaucoup à mon personnage on peut dire, et vous en conviendrez, que j'ai tué avec vraisemblance. Enfin, pour répondre à votre question, je connaissais bien les deux autres comédiens. On s'était rencontrés à Cape Cod en janvier de la même année.

TOUS

Continuez...

ALVAN

Je me rappelle que ça sentait le poisson frais dans la salle. Ce qui a valu le mot d'esprit d'un des spectateurs: «C'est du théâtre de propagande!» ... Comme je vous l'ai dit, la pièce a commencé avec des incantations à la pleine lune et à l'enfant. Assez puissant comme début. Le public était fasciné, ça se voyait. Il observait un silence religieux, il avait le sens des valeurs, juste un petit toussotement des fois de temps à autre pour qu'on sache qu'il était là. Charles Charles était un peu nerveux. Il avait eu un de ces tracs qui avait duré toute la journée. Il se demandait si on allait être à la hauteur. Surtout Winslow, à cause d'un incident durant l'après-midi.

TOUS

Cet incident, à propos...

ALVAN

Oh, je vous vois venir! Ça vous plairait, hein, de mêler le racisme dans tout ça? Mais ça a aucun rapport. Je voudrais pas parler contre eux, mais avec eux ça finit comme ça le plus souvent. D'ailleurs c'est lui qui avait provoqué. Il avait provoqué Winslow parce que des bruits couraient sur son compte à propos de Charles Charles et lui. Si vous voulez mon opinion, le coupable, le vrai, celui qui a remplacé l'enfant par un vrai, il était dans la salle et il savourait son crime parfait, le voyou. Après tout, faut pas ignorer le public. Si vous voulez mon avis, c'est ceux qui crient au scandale qui n'ont pas la conscience tranquille. Si j'étais vous, j'irais interroger ceux-là qui ont écrit qu'on faisait du théâtre bestial. Quand on sait pas ce qu'on écrit on sait pas ce qu'on fait. Si vous voulez mon avis, le crime, c'est tout le monde qui l'a fait, y compris vous! C'est la société. Ce sont les structures. Pourquoi nous accuser? C'est vous qu'on devrait interroger, vous demander des alibis! des mobiles! vos emplois du temps! l'horaire des trains! vos empreintes digitales! les cigarettes que vous fumez! vos idées marginales! tout ce qui peut vous compromettre! tout! tout! tout!...

Extrait des *Mémoires* de Charles Charles

Ce qui caractérisait d'abord et avant tout notre vie de cette époque-là, c'était la cohérence fautive.

13

CHARLES CHARLES 19

Projecteur sur Charles Charles.

CHARLES CHARLES 38

Provincetown Playhouse, juillet 1919, j'avais 19 ans.

TOUS, *sauf Charles Charles 38*

Nom. Prénom.

CHARLES CHARLES 38

Charles Charles.

TOUS

Dites « Je le jure. »

CHARLES CHARLES 38

Je le jure.

TOUS

Est-ce que vous pourriez nous raconter...

CHARLES CHARLES 38

Vous raconter quoi? Raconter la pièce? Eh bien, on peut dire que vous avez du front! Il fallait vous déplacer! D'ailleurs, on ne demande jamais à un auteur de raconter sa pièce, vous devriez savoir. Un auteur peut difficilement raconter avec objectivité. Il aura tendance à dire des choses qu'il n'aura pas réussi à faire passer dans l'écrit. Ou il attirera l'attention sur son aspect, à son avis, le mieux réussi... il va essayer de brouiller les pistes, expliquer à outrance, ce qui revient au même. Compliquer ce qui est simple, simplifier ce qui est compliqué. J'ai écrit une pièce sur la Beauté, c'est tout ce que j'ai à dire. Tout ce que je sais, c'est qu'un enfant y a laissé sa peau. Ça fait partie des choses qui nous échappent, à nous, les auteurs. Un enfant qui meurt sur scène, d'un point de vue strictement théâtral, c'est de l'ordre de l'imprévu. Comme n'importe quelle anicroche, le décor qui flanche, un comédien qui rate son entrée. C'est jamais drôle. Remarquez qu'au point où on en était, avec les bruits qui nous provenaient d'en bas, les odeurs de poisson, les retardataires, le régisseur qui ratait ses effets, on était déjà assuré d'un flop. Pourtant, notre théâtre revendiquait rien de choquant. Notre projet, nos idées, c'était tout à fait légitime. Chacun a le droit de dire ce qu'il veut, des obscénités quelquefois. Mais nous, on faisait rien d'obscène. Parler de la Beauté, faut avoir l'esprit drôlement mal tourné pour nous accuser de perversion... Les journalistes se sont emparés de l'affaire. Et les parents Anshutz, ça les réjouit, vous pensez, de voir la photographie de leur enfant en première page? Ça doit être assez atroce pour des parents, savoir qu'ils ont égaré leur enfant, impossible de se rappeler où, et puis ça y est, il était dans le sac! Rien que ça, cette histoire de sac, c'est pour nous un mystère du début à la fin. Comment est-ce qu'on pouvait savoir?

TOUS

Pourquoi alors avoir annoncé que le sac contenait un enfant? Pourquoi avoir décidé de représenter la pièce une seule fois? pourquoi écrire une pièce de théâtre sur un sujet si bizarre? pourquoi choisir le théâtre au lieu des ruelles? pourquoi cet enfant vous dérangeait tant, qu'avait-il fait? pourquoi il est dit en page 19... pourquoi dix-neuf coups de couteau?...

CHARLES CHARLES 38

Pourquoi... pourquoi... ils voulaient tout savoir, même pour les choses qui allaient de soi, ils posaient des questions. Il nous fallait répondre, tout dire, au besoin il fallait inventer... ils toléraient aucun silence, il fallait toujours qu'on raconte, c'était assommant, à la fin on ne savait plus rien, et eux, ils arrivaient mal à comprendre, et nous aussi, parfois c'était le fouillis total.

CHARLES CHARLES 19

Vous ne vous êtes pas aperçu en y touchant que le sac contenait autre chose que de l'ouate et du sang de cochon?

ALVAN

Comment est-ce que je m'en serais aperçu? On ne pouvait pas toucher au sac.

CHARLES CHARLES 19

Vous ne pouviez pas y toucher? Pourquoi?

ALVAN

Ç'aurait été un sacrilège.

CHARLES CHARLES 19

Mais puisqu'il n'était pas supposé contenir autre chose que de l'ouate?

ALVAN

Ah...

CHARLES CHARLES 38

Et puis ils ont été plus loin. Ils se sont emparés du texte de la pièce, ils en ont fait des lectures publiques pour l'auditoire qui regrettait de ne pas avoir été là le soir de la représentation. Le juge et les deux avocats qui lisaient ma pièce, c'est ce qui s'appelle trahir un auteur... eux qui étaient pas allés au théâtre trois fois dans leur vie, et en plus ils se permettaient des remarques...

WINSLOW

...Ici, en bas, page 8, j'arrive mal à saisir ce qu'a voulu dire l'auteur...

CHARLES CHARLES 19

...Moi, j'ai pris quelques notes sur son passé, ça pourrait peut-être vous éclairer...

WINSLOW

...C'est que le théâtre moderne confond tout: les personnages, les situations... même les bruits...

ALVAN

...Ils ne sont pas les seuls, allez! Vous avez vu l'exposition des surréalistes au Musée d'Art moderne?

WINSLOW

...Vous l'avez trouvé, vous, le nu qui descend l'escalier?

CHARLES CHARLES 19

Revenons à la pièce, messieurs!

WINSLOW

Cette réplique, ici en page 8, elle me gêne terriblement!

CHARLES CHARLES 19

Bof! Sautez-la!

CHARLES CHARLES 38

C'est que ça leur plaisait, jouer aux comédiens. Se mettre dans la peau d'un autre, c'est pas donné à tout le monde! Mais une fois qu'ils s'étaient bien amusés, ces messieurs, figurez-vous qu'ils devenaient tendancieux.

WINSLOW

Oui, oui, je suis sûr de ce que j'avance: ce jour du 19 juillet, tenez, juste avant la bagarre, on les a vus... Ils s'étaient étendus sur le sable afin de donner de la couleur à leur corps... Ils avaient exposé toute leur peau au soleil, y compris le haut... le bas... et... et l'entre-les-deux.

ALVAN

Le... le derrière et le devant?

WINSLOW

Ils se tournaient, et tour à tour, c'était le derrière, c'était le devant...

ALVAN

Vous les avez vus?

WINSLOW

Ils étaient à la vue de tout le monde! Des enfants auraient pu les voir!

CHARLES CHARLES 38

Jusqu'au jour où ils en sont venus aux accusations proprement dites.

CHARLES CHARLES 19

Criminellement responsable, parfaitement! Winslow Byron, vous êtes accusé du meurtre prémédité de Frank Anshutz.

WINSLOW, *dans un cri*

Non!

CHARLES CHARLES 19

De toute l'histoire, votre crime restera l'un des plus ignobles, des plus... inqualifiables!

WINSLOW

Je proteste! Non! Je n'y suis pour rien! J'ignorais tout!

CHARLES CHARLES 19

Vous saviez tout!

WINSLOW

Je vous jure que non!

CHARLES CHARLES 19

Vous avez frappé en sachant que le sac contenait un enfant!

WINSLOW

Non !

CHARLES CHARLES 19

En sachant très bien que cet enfant mourrait sous vos coups !

WINSLOW

Des preuves, des preuves...

CHARLES CHARLES 19

Avouez-le. C'est vous qui avez mis l'enfant dans le sac !

WINSLOW

DES PREUVES ! AVEZ-VOUS SEULEMENT DES PREUVES ?

CHARLES CHARLES 19

Oui, Winslow Byron. Nous avons des preuves.

WINSLOW, *à bout de forces, dans un gémissement*

Non...

CHARLES CHARLES 19

L'enfant était noir.

Un long silence.

14

WINSLOW

Je vous l'ai dit cent fois... aucun rapport! vous attachez de l'importance aux choses qui n'en ont pas. Et puis, après tout, j'avais rien à cacher. Je les déteste, c'est vrai, j'ai toujours eu horreur du noir, quand j'étais petit j'en faisais des maladies, pourquoi est-ce que je mentirais? Je les déteste, et lui en particulier parce qu'il m'avait provoqué, il a ri de moi, je me suis défendu, j'étais en droit. Je l'ai assommé comme c'est difficile d'assommer quelqu'un, mais je l'ai pas tué! Ni lui ni personne! JE SUIS INNOCENT! Jamais, vous entendez, jamais vous me ferez avouer. Pendez-moi, donnez-moi des coups de couteau dans le ventre, mais jamais je vous dirai que j'ai tué. Je suis un acteur, pas un assassin. Inventez des preuves, je m'en fous. Continuez de confondre, d'interpréter, c'est ce que vous faites depuis le début, mais je vais plaider non coupable jusqu'à la fin. Heureusement pour vous qu'il était noir, monsieur le juge! Ça donne du prestige. Ça rend l'affaire intéressante, ça prend des proportions. Dites que la pièce était raciste! L'enfant était noir? Et qu'est-ce que ça prouve? Il aurait pu être jaune, il aurait pu être blanc, celui qui a fait le coup a pas eu le temps de choisir, il a pris le premier disponible, est-ce que je sais... mais c'est pas moi, c'est pas moi...

Il fait silence, il est à bout de forces. Alvan s'approche de lui, le soutient.

ALVAN

Et puis? Qu'est-ce que ça prouve? On appelle ça une coïncidence. En tant que meurtrier involontaire de cet enfant, je plaide non coupable. Je plaide l'ignorance. Toute cette histoire est gouvernée au départ par l'ignorance. Personne savait. Alors il y a eu confusion, parce que tout le monde était sensé tout savoir. Voyez comme c'est curieux; il y a un enfant dans le sac, nous on le sait pas. Or, on dit au public qu'il y a un enfant dans le sac, donc le public le sait. Alors le public ignore que nous on sait pas. Alors nous tout ce qu'on sait c'est ce que le public ignore. Mais comme le public sait pas qu'il ignore, une fois qu'on saura tout le public pensera qu'on le savait... Alors on s'est pris à notre propre jeu. Ce qu'il aurait fallu dire au public, c'est que dans la réalité le sac contenait de l'ouate. Mais ç'aurait été lui mentir, parce que dans la réalité il contenait un enfant. Et moi j'ajoute que c'est moi qui ai donné le coup fatal. Mais sans le savoir. Alors j'ai commis le crime parfait d'un autre. Alors, suivez l'ordre parfait des choses. Pendez-en un autre pour moi.

Charles Charles 19 paraît aux côtés de Winslow et d'Alvan.

CHARLES CHARLES 19

Nous, racistes! C'est nous faire un procès d'intention! On aime tout le monde. Ce qu'on veut, nous, c'est faire de l'art. Mais tant que des imbéciles viendront nous mettre des enfants dans nos sacs, on pourra jamais œuvrer tranquilles. Votre procès, il me fait penser à la pièce: tout est contre nous. Mais dans ma prochaine pièce, préparez-vous, je vous dénonce. Je mets les faits noir sur blanc à la face du monde en plein jour.

...

Winslow, tu pleures?

Alvan, dis quelque chose... leur dire... je ne sais pas, moi, leur dire qu'ils sont dans l'erreur...

Ah, c'est impossible, hein? tout ça qui nous arrive!

Toi, Winslow, leur dire qu'au fond, tu l'aimais bien, le Noir...

Alvan, leur dire que tu es innocent, insiste...

Et puis moi...

...

Et puis moi... moi... leur dire que je suis fou...

15

CHARLES CHARLES 38

Il s'agissait de le dire... il s'agissait d'un peu de lucidité. Quand on se trouve acculé, qu'il y a plus rien d'autre à dire... leur dire que j'étais fou, et le devenir, par conséquent. Parce que là encore, il fallait des preuves. Le tout a été de me persuader. J'étais obligé de croire... croire à mon personnage. En un éclair, j'ai compris le sens du mot « théâtre ». J'ai dit: « Charles Charles, tu vas jouer un fou, et ce sera ton plus beau rôle, et si tu crois à ton personnage, le public te saluera. Ton génie, ton talent, c'est pour aujourd'hui. » Et c'est comme ça que le théâtre m'a condamné à mort, et c'est comme ça que le théâtre m'a sauvé la vie. J'ai écrit ma pièce tout en la jouant, pour un public venu spécialement pour me juger. Et puis je leur ai dit: « J'ai écrit spécialement pour vous, et puis s'il y a des retardataires, ils auront rien manqué parce que ma pièce recommence continuellement. Ma pièce dure depuis dix-neuf ans. À tous les soirs, elle recommence. C'est un one-man-show. Ici, à Chicago, je suis bien, j'ai de l'espace, je me sens chez moi. Vous savez, le grand silence religieux, le silence dont rêvent tous les auteurs, il est ici; ici le public est un inconditionnel de ... de moi! Et, croyez-le ou non, depuis dix-neuf ans, y a pas eu un seul retardataire. Pas un seul! Ici, quand on dit à huit heures, ça commence à huit heures.

Et puis à la fin, je salue, une fois... deux fois... Il y a des soirs où j'apporte certaines modifications à ma pièce. Des fois j'allonge des répliques, d'autres fois, je coupe ce qui est écrit pour m'éloigner un peu de mon sujet. (Un soir, j'ai décidé de remplacer le sac par un petit lapin! À chaque fois qu'on disait «projecteur sur un sac», le petit lapin se mettait à sauter, c'était assez baroque, les gens comprenaient difficilement pourquoi on faisait tant d'histoires autour d'un petit lapin, mais moi je me suis amusé follement! Alors ça m'a donné des idées, à chaque premier jeudi du mois, je remplace le sac par quelque chose d'autre... un soir, je l'ai remplacé par un tracteur. Alors là, c'était ambigu! Quand le tracteur faisait marche arrière, il faisait tchouk-tchouk et il lui sortait de la vapeur, on le confondait avec une locomotive!) Mais on peut dire que, généralement, je respecte scrupuleusement mon texte. C'est pas parce que je me permets des libertés un jeudi par mois que j'ai cessé d'être fidèle à mes intentions d'auteur! Tous les soirs, je recrée un climat. Alors, quand le public est bien réceptif, j'en arrive à oublier toutes ces années que j'ai en trop, je me retrouve quelque part sur la côte... en marchant sur le sable... je revois la pleine lune... et puis je respire le sel, les odeurs de poisson frais... et puis je lève la tête... en haut au dernier étage de la poissonnerie... ils sont là tous les deux qui m'attendent, Alvan et Winslow, pour jouer une de mes pièces...

16

CHARLES CHARLES 19

Et puis à force de détours, de réponses évasives, de confusions, à force de logique et de procédés, je leur ai fait croire que j'étais fou. Ils ont dû relire la pièce une dizaine de fois, la montrer à des universitaires, à des psychiatres, à des évêques, tous furent du même avis:

TOUS

« C'est un auteur qui nous dérange. Sa tête n'est pas en santé. »

CHARLES CHARLES 19

Pour ce qui est de Winslow et d'Alvan, eux, ils s'y sont pris trop tard. Ils avaient déjà dit trop de choses cohérentes pour qu'on crût qu'ils étaient fous. Pourtant, Dieu sait si nous étions fous tous les trois... D'autant plus qu'Alvan avait avoué le meurtre et qu'ils avaient réussi à prouver que l'enfant, c'était bel et bien Winslow qui l'avait mis dans le sac. Comment ils ont réussi à le prouver? Je vous le donne en mille: à cause d'un blanc!

ALVAN

Ce jour-là je me suis levé à huit heures, j'ai déjeuné, pris deux cafés, il était neuf heures. Fait ma toilette, fait un peu d'exercice, il était dix heures. De dix heures à midi, j'ai répété mon rôle. À midi j'ai mangé, à une heure je me suis couché, à deux heures on est allés se promener sur la plage tous les trois. On est rentrés à trois heures trente, et jusqu'à cinq heures, j'ai fait de la méditation. Cinq heures trente, j'ai soupé, et à six heures... à six heures...

CHARLES CHARLES 19

Ha! ha! à six heures?

ALVAN

J'arrive plus à me souvenir... Je sais qu'à sept heures on se rencontrait au théâtre, mais à six heures... à six heures...

CHARLES CHARLES 19

Qu'avez-vous fait entre six heures et sept heures?

ALVAN

Je... pourtant... non, c'est impossible, j'arrive pas à me souvenir...

WINSLOW

Je me suis levé à neuf heures. J'ai déjeuné, j'ai fait ma toilette, j'ai fait un peu de gymnastique, l'avant-midi y a passé. Mangé à midi trente. Ensuite je me suis couché. À deux heures on est allés se promener sur la plage, il y a eu la bagarre, on est rentrés il était trois heures trente, j'ai répété jusqu'à cinq heures trente, j'ai soupé, et à six heures... mon Dieu...

CHARLES CHARLES 19

Tiens, vous aussi?

WINSLOW

Attendez... j'ai répété jusqu'à cinq heures trente... j'ai soupé, oui... et puis à six heures... comme c'est bête, à six heures...

CHARLES CHARLES 19

À six heures...?

WINSLOW

À six heures... pourtant, je devrais me rappeler...

CHARLES CHARLES 19

Qu'avez-vous fait entre six et sept?

WINSLOW

C'est impossible... j'ai un blanc...

CHARLES CHARLES 19

À cause d'un blanc...

Ils ont été patients. Ils ont attendu deux ans. Pendant deux ans, tous les matins, on cognait à la porte de leur cellule et on leur demandait: «Alors, ce jour du 19 juillet 1919, entre six et sept, on se rappelle toujours pas?»

WINSLOW

J'ai beau chercher, mais je vous jure... ça va peut-être me revenir...

CHARLES CHARLES 19

Pendant deux ans... Et puis un jour, alors qu'ils avaient 21 ans, qu'ils étaient devenus des adultes, on leur dit gentiment que ce blanc d'une heure dans leur vie jouait beaucoup contre eux. Ils avaient décidé que c'était une preuve suffisante. Alors ils les ont pendus.

17

WINSLOW

J'ai cru ce matin que ça m'était revenu... j'avais eu une envie folle de dessiner le coucher de soleil, mais... mais je l'ai pas fait... c'est dommage parce que si je l'avais fait, ça m'aurait occupé de six à sept... Mais aujourd'hui je suis fatigué. Je ressens beaucoup de fatigue tout à coup. Je m'excuse, mais je crois que vous avez raison. Je crois que je me souviendrai jamais, c'est déjà si loin...

Il tourne le dos au public.

ALVAN

J'ai fouillé comme il faut, et puis tout d'un coup je me suis souvenu que ce soir-là, après le souper, il m'est passé par la tête l'idée d'ouvrir un vieil album de photographies. J'en ai une pleine collection, j'en aurais eu pour au moins une heure. Mais que voulez-vous, je l'ai pas fait... C'est dommage... dans cet album, il y avait des photos de maman, quand elle était jeune... elle était belle... mais je l'ai pas fait...

Il tourne le dos au public

CHARLES CHARLES 19

Et le juge a dit: «Winslow Byron et Alvan Jensen, la Cour vous condamne à la pendaison pour avoir été complices et pour avoir tué avec prémédi-tation Frank Anshutz, il y a deux ans, le 19 juillet 1919. Winslow Byron, avez-vous quelque chose à dire ? »

Winslow fait non de la tête et sort.

CHARLES CHARLES 19

« Alvan Jensen, avez-vous quelque chose à dire ? »

Alvan fait non de la tête et sort.

18

Charles Charles 19 s'approche de la table où se trouve Charles Charles 38.

CHARLES CHARLES 19

Il y avait pourtant un tas de choses à faire entre six et sept, un soir de juillet... Ils auraient pu inventer, n'importe quoi... mais ils ont préféré se taire... Et toi Charles Charles, mon beau Charles Charles, qu'est-ce que tu faisais entre six heures et sept heures... ?

CHARLES CHARLES 38

Ils m'ont pas posé de questions. Moi, c'était pas la même chose, j'étais fou.

CHARLES CHARLES 19

Mais tu peux te rappeler... ? Moi, je me souviens...

CHARLES CHARLES 38

Je me suis levé à dix heures, j'ai déjeuné, fait ma toilette, mes exercices, il était midi, j'ai dîné, à une heure j'ai répété mon rôle, à deux heures on est allés se promener sur la plage tous les trois, rentrés à trois heures trente... je me suis couché, dormi jusqu'à cinq heures, soupé à cinq heures trente, et à six heures...

CHARLES CHARLES 19

Et à six heures?

CHARLES CHARLES 38, *affolé, soudain*

Va-t'en!

CHARLES CHARLES 19

Et à six heures?

CHARLES CHARLES 38

Tu m'avais promis que c'était fini, que tu reviendrais plus...

CHARLES CHARLES 19

Et à six heures, Charles Charles...?

CHARLES CHARLES 38

À six heures... et à six heures... je suis sorti... je suis allé me promener... le soleil faisait une boule orange sur la mer, j'ai regardé le coucher de soleil... Le coucher de soleil...

CHARLES CHARLES 19

Et puis?... Ce n'est pas tout...

CHARLES CHARLES 38

Je me suis dit: «Charles Charles, le soleil a jamais été aussi beau sur la mer»... Et du côté de l'est, on voyait la pleine lune... c'était comme un rêve... J'ai couru chez Winslow...

CHARLES CHARLES 19

Winslow...

CHARLES CHARLES 38

J'ai couru chercher Winslow... «Winslow... viens voir... le soleil et la lune!»

CHARLES CHARLES 19

Winslow...

CHARLES CHARLES 38

...«Viens voir... le soleil... et la lune...»

CHARLES CHARLES 19

Et alors, qu'est-ce que tu as vu entre six et sept, tu es rentré chez Winslow et qu'est-ce que tu as vu?

CHARLES CHARLES 38

Va-t'en!

CHARLES CHARLES 19

Dis qu'est-ce que tu as vu!

CHARLES CHARLES 38

Winslow. Et puis Alvan. Tous les deux. Dans la chambre. Ils faisaient que dormir... dans le silence, ma foi ils souriaient... une tendresse qui m'a fait plus mal que si j'avais vu autre chose... ce soir-là, l'immolation de la beauté... et moi qui croyais... qui croyais que Winslow...

Un temps.

CHARLES CHARLES 38

...Alors j'ai dit: «Charles Charles, va falloir que t'apprennes...» J'ai pas voulu les déranger, ils avaient besoin de se reposer, ç'aurait été bête de ma part... alors je suis sorti...

CHARLES CHARLES 19

Winslow...

CHARLES CHARLES 38

Alors je suis sorti... et puis j'ai marché sur la plage...

CHARLES CHARLES 19

J'ai marché sur la plage, et puis...

CHARLES CHARLES 38

Va-t'en!

CHARLES CHARLES 19

Et puis j'ai vu... non, j'ai entendu d'abord... il jouait de l'harmonica...

CHARLES CHARLES 38

Quelqu'un qui jouait de l'harmonica... sur le bord des premières vagues... Je marchais... Je me suis arrêté... il était seul...

CHARLES CHARLES 19

Le ciel était orange, il y avait la pleine lune toute blanche, et il y avait lui, il était tout noir...

CHARLES CHARLES 38

Aussitôt, les choses se sont passées très vite dans ma tête... J'ai revu la bagarre de l'après-midi et j'ai dit: «Charles Charles ce serait monstrueux!» et j'ai dit: «Charles Charles, ça pourrait au moins te consoler...» ...J'ai juste eu à lui demander s'il voulait jouer dans ma pièce... j'ai eu qu'à lui demander et puis c'est lui qui m'a suivi...

CHARLES CHARLES 19

Quand on est fou, les choses se passent très vite dans une tête...

CHARLES CHARLES 38

Quand on est fou... il y aurait un procès, ils en crèveraient tous les deux, quand on s'aime, c'est beau qu'on en meure... Puis moi, ils pouvaient rien contre moi... j'étais fou... j'étais fou...

CHARLES CHARLES 19

Ils pouvaient rien contre moi...

CHARLES CHARLES 38

Va-t'en. Va-t'en. Va-t'en!

Charles Charles 19 sort.

19

Charles Charles 38 reste immobile, assis, en fixant le vide. Il se rend compte soudain qu'il est seul. Il se lève, regarde autour de lui. Il s'assoit par terre, au milieu des couteaux, du sac et du texte de la pièce... ces choses. Qui, curieusement, ressemblent à des jouets.

CHARLES CHARLES 38

T'es parti, Charles Charles?... Mais, c'était pour rire, allez, reviens, tu sais bien, je voulais que tu restes... qu'est-ce que je suis, moi, si t'es pas là...? Et Winslow, et Alvan... hé! revenez, le public va s'impatienter...

...

Et puis, je commence à être vieux..., je perds un peu la mémoire, des fois, quand t'es pas là, il m'arrive de confondre...

...dix-neuf ans que ça dure... c'est pas une vie...!

Une fois la pièce terminée, je vais me lever, je vais saluer, une fois... deux fois... ça dépend... le public qui connaît la pièce par cœur va rentrer chez lui, il va revenir demain... ça n'en finira jamais... Non, non, vous pouvez pas vous en aller... on peut pas me faire ça à moi... vous pouvez pas me laisser seul...

Silence. Le noir.

FIN

VARIANTES

• Note de l'auteur

J'ai fait deux versions de *Provincetown Playhouse...* Celle qui précède constitue ce qu'on pourrait appeler une « version pour la scène » ; elle a été écrite d'après un premier texte en modifiant l'ordre et le contenu de certains tableaux. Le but de cette seconde version était de rendre, entre autres précisions, une véritable pièce à l'intérieur de la pièce (celle du sixième tableau). De fait, la première version fait vaguement allusion à certains moments de ce qui aurait pu être le *Théâtre de l'immolation de la beauté,* mais l'écriture se trouve à confondre les deux pièces ; et je conçois volontiers qu'une telle superposition exige beaucoup quant aux possibilités de la représentation[1].

Néanmoins, la lecture de *Provincetown Playhouse...* m'apparaîtrait incomplète en faisant abstraction de sa version originelle, dont voici, sous forme de variantes, les tableaux qui ont été modifiés. Il s'agit des tableaux 6 à 13.

---

1. Par exemple, la première version comporte 20 tableaux, numérotés de 1 à 19 en dédoublant le tableau 13 (celui de la répétition en accéléré de la pièce après l'intrusion du retardataire). Or, elle n'en comporte symboliquement que 19, si l'on tient compte du fait que Charles Charles, pris de vertige devant la feuille blanche, n'a pas pu écrire de sixième tableau...

6

Variante

Projecteur sur Charles Charles 38. Noir sur les trois comédiens.

CHARLES CHARLES 38

Au sixième tableau...

Au sixième tableau... le public qui avait rien dit jusque-là a ressenti le besoin d'une intrigue... Le public était pas habitué à ce genre de pièce où on fait que parler d'abstractions...

J'avais annoncé à mon public: « J'ai conçu une pièce spéciale, je l'ai écrite spécialement pour un public intelligent! » Des coulisses, j'entendais les commentaires de la salle, une voix de femme qui disait: « Moi, j'adore! moi, j'adore! », une autre voix de femme qui disait: « Enfin! un jeune auteur qui va nous parler de la beauté! » Ce soir-là, le public était gagné d'avance!

Je voulais tout donner, alors au sixième tableau, il fallait qu'il se passe quelque chose sinon les gens allaient sortir. Pour un auteur c'est la mort. C'est le coup de couteau dans le ventre.

J'ai vécu des angoisses abominables en écrivant ma pièce. Arrivé au sixième tableau, j'ai été assailli des doutes les plus effrayants: « Est-ce qu'ils vont s'apercevoir que le théâtre est de moins en moins accessible? Est-ce qu'ils vont penser que l'enfant c'était un subterfuge pour les retenir?... »

Encore si on avait joué dans un grand théâtre, ou dans un endroit isolé... mais non! on jouait au-dessus d'un marché, ça sentait le poisson frais, c'était samedi soir sur la plage, il y avait une fête en bas, tout était contre nous! Au sixième tableau, la salle se viderait, ça allait de soi...

Il fallait trouver autre chose que des rituels. Le public déteste les rituels. La Beauté, l'enfant dans le sac, c'était pour les exciter, maintenant trouver autre chose, trouver autre chose, trouver autre chose...

De peine et de misère, j'ai regardé mon sixième tableau droit dans les yeux.

J'ai décidé d'écrire n'importe quoi. N'importe quoi. Quand on est fou, les choses se passent très très vite dans une tête. J'ai écrit la première intrigue qui m'est passée par la tête. Puis je l'ai rayée. J'avais l'obsession d'en finir avec ce sixième tableau, il fallait absolument que je règle le cas du sixième tableau c'était obligatoire pour mettre un point final à ma pièce après ça tout serait plus facile une fois celui-là écrit les autres viendraient par la force des choses mais celui-là c'était épouvantable les idées me fuyaient j'avais peur d'être un écrivain raté alors je me suis cogné la tête sur ma feuille blanche et j'ai crié QUE LE DIABLE EMPORTE LE SIXIÈME TA-

BLEAU j'ai écrit « Leur dire que je suis fou » j'ai rayé j'ai écrit encore puis encore une fois j'ai rayé j'ai dit c'est là qu'ils vont se rendre compte que l'auteur est malade qu'il va finir ses jours dans une clinique c'est la seule fin plausible à la pièce et ils vont se dire que le sixième tableau aurait mieux valu jamais l'écrire... le sixième tableau...

...le sixième tableau...

...le sixième tableau....

Effrayé devant la page blanche, il pleure en silence.

• Le tableau 6 de la deuxième version n'existe pas dans la première. On enchaîne avec le procès. Le tableau 7 de la première version correspond donc au tableau 11 de la deuxième (témoignage de Winslow). Le tableau 8 (témoignage d'Alvan) correspond au tableau 12. Les tableaux 9 et 10 de la première version (témoignage de Charles Charles) ont été abrégés pour devenir le tableau 13 de la seconde version. Le tableau 11 que voici a été supprimé dans la deuxième version.

11

Variante

Charles Charles 38 est à l'avant-scène. Les trois autres sont invisibles.

CHARLES CHARLES 38

Au fond, notre théâtre ne revendiquait rien de choquant. Chacun a le droit de dire ce qu'il veut, notre projet, nos idées, c'était tout à fait légitime, on peut dire des obscénités quelquefois, mais nous, on faisait rien d'obscène. Ce soir-là, je fêtais mes 19 ans. Je voulais tellement que ce soit un triomphe... pour vous montrer à quel point je voulais que les gens accrochent, j'avais engagé une hurleuse, elle était assise dans la troisième rangée, il s'agissait de lui faire signe et elle hurlait. Son contrat stipulait que ses hurlements seraient de plus en plus hystériques et qu'à la fin elle nous ferait une crise très spectaculaire. Eh bien... elle s'est endormie. Voyez-vous, la pièce comportait certaines répliques qui avaient, si j'ose dire, un pouvoir hypnotique... par exemple, j'avais passé des jours et des jours à étudier et à récrire la scène du partage sacré qui prenait tout son sens caché dans des mots qui sonnaient très curieusement lorsqu'on les mettait les uns à côté des autres... j'avais voulu créer un effet soporifique... la hurleuse s'est endormie... d'un certain point de vue, c'était donc réussi... un peu trop peut-être... d'ailleurs, si on y pense bien, tout a été un peu trop réussi dans la pièce...

Projecteur sur la table où Alvan et Winslow sont assis aux côtés de Charles Charles 19. L'air extatique, sur le mode contemplatif, Charles Charles 19 se met debout sur la table et commence à réciter, en proie à un délire :

CHARLES CHARLES 19

Tu es le mâle jouvenceau au casque blond guerrier et tu es la belle pureté immanente du magnanime nu. Je m'offre entre autres trésors à la lune fléchée, aux linges trempés dans tes liquides, désir réclamé à corps et à cri, et aux pourchassements, essoufflements, vêtements lourds qui jouent à la race sur les contours de ton muscle... À l'angle d'un toit aminci par le gel imaginaire et par un cycle de la mer et de ses habitudes, huîtres fermées comme les chiffres bouclés dessinés sur les sables, ton visage s'explore d'attention en attention, une expédition-terreur s'énonce par un jour qui n'a de jour que le mi-rouge d'un phare qui tourne à toute violence dans le ciel ou dans le grenier d'une cage un soir d'été. Un soir nous nous révolterons tous deux d'en avoir choisi la façade frappée pour y faire cohabiter d'une duplicité malade à faire crier les pierres nos deux carcasses de bâtiments, étonnamment grandiloquentes, mais pleines d'hilarités disparates !

WINSLOW, ALVAN et CHARLES CHARLES 19,
pêle-mêle

Hilarités, carcasses, gel imaginaire, un sac, un soir d'été, le mot monumental, le môme, le motus, le monocorde, le motivé, le mot savant, le mot à mot !

CHARLES CHARLES 19

Tu es comme une belle mort fatiguée dans le cristal !

Je te suggère du doigt, je te nie par la parole, mais je t'aime de l'œil ! Nous sommes des animaux sauf une passion.

ALVAN et WINSLOW

Projecteur sur trois garçons !

CHARLES CHARLES 19

Le Théâtre de l'immolation de la beauté se consume à même la beauté, s'exécute dans la lenteur requise à la beauté !

ALVAN et WINSLOW

Projecteur sur un sac !

Les quatre personnages se tournent vers le sac. Immobilité.

• Le tableau 12 de la première version correspond au tableau 8 de la seconde (tableau du retardataire). Les deux tableaux 13 de la première version correspondent respectivement au tableau 9 et à la fin du tableau 13 de la seconde version. À partir du tableau 14, les deux versions sont identiques.

TABLE

ACHEVÉ D'IMPRIMER
EN AOÛT 2009
SUR LES PRESSES
DES IMPRIMERIES TRANSCONTINENTAL
POUR LE COMPTE DE
LEMÉAC ÉDITEUR, MONTRÉAL

DÉPÔT LÉGAL
1re ÉDITION : 4e TRIMESTRE 1981
(ÉD. 01 / IMP. 09)